KB103697

쉽고 빠르게 배우는 글쓰기 커리큘럼

50일 완성!

메모로 시작하는 글쓰기

50일 완성! 메모로 시작하는 글쓰기

쉽고 빠르게 배우는 글쓰기 커리큘럼

발 행 | 2024년 7월 1일

저 자 | 장윤영

펴낸이 | 한건희

펴낸곳 | 주식회사 부크크

출판사등록 | 2014.07.15(제2014-16호)

주 소 | 서울특별시 금천구 가산디지털1로 119 SK트윈타워 A동 305호

전 화 | 1670-8316

이메일 | info@bookk.co.kr

ISBN | 979-11-410-9108-8

www.bookk.co.kr

쉽고 빠르게 배우는 글쓰기 커리큘럼

50일 완성!
메모로 시작하는 글쓰기

장윤영 지음

CONTENT

쉽고 빠르게 배우는 글쓰기 커리큘럼

글쓰기, 참 어렵습니다. 잘 쓰고 싶지만 의도대로 되지 않습니다. 생각은 나름 깊게 하는 편인데, 쓰려고 하면 생각이 까맣게 변해버립니다. 몇 번 글쓰기 모임에 참여하지만 모두 실패하고 말았습니다. 3일의 벽도 넘어서지 못했습니다. 게다가 아예 시작하지도 못한 경우가 태반입니다. 도대체 어떻게 하는 게 좋을까요?

"글쎄요, 저도 잘 모르겠습니다"라고 말하면 너무나 무책임한 사람이 될 것 같습니다. 저 역시 뭐라고 답변해야 좋을지 무척 고민이 됩니다. 근데 뭐랄까, 딱히 번쩍 튀는 아이디어 같은 것은 거의 없는 편입니다. 그저 곰처럼 묵묵하게 버티는 일이 전부입니다. 그런데 말입니다. 생각해 보니 아이디어 정도까지는 아니지만, 방법이 하나 있긴 합니다. 그것은 바로 '꾸준함'이죠. 이 가치에 대해선 굳이 강조하지 않아도 이미 잘 알고 있을 겁니다.

다만 꾸준함은 지나치게 높은 목표 때문에 쉽게 무너집니다. 내 수준을 객관적으로 인지하지 못한 상태에서 과도하게 목표를 설정하다 보니, 실패라는 결과만 맛봅니다. 좌절을 극복하지 못하게 되면 영원히 실패자로 남게 될 겁니다.

사람은 실패를 겪으면 두 가지 중 하나를 선택합니다. 한 가지는 바로 단념하는 것, 아주 단호하게 포기하고 모든 과정을 기억에서 지워 버립니다. 그래야 자신의 실패에 정당성을 부여할 수 있거든요. 희망 없는 가능성을 꿈꾸느니 편안한 게으름을 선택하는 거죠.

나머지 한 가지는 욕심을 내려놓는 겁니다. 목표를 약간 하향 조정하는 거죠. 그 후에 다시 목표에 뛰어드는 겁니다. 그런 과정을 반복하면서 내 수준을 인식합니다. 한마디로 메타인지 능력을 향상하는 거죠. 실패했지만 다음 도전에 나서는 과정을 통해서요.

거의 모든 자기 계발 책에서 강조하는 것은 '작은 것의 재발견'입니다. 하지만 사람들은 보통 작은 것을 무시하죠. 타인의 시선에서 자유로울 수 없기 때문입니다. 조금 더 잘난 사람으로 보이고 싶어서, 멋진 사람이 되고 싶어서, 굳이 어려운 선택에 나서는 거죠. 어려워 보이는 관문과 자신을 동일시하게 됩니다. 그런데 그게 달성이 안 되니 좌절만 맛봄니다.

글쓰기도 마찬가지가 아닐까요? 만약 글쓰기가 잘되지 않는다면 목표를 지나치게 높게 설정한 게 아닌지 자신을 객관적으로 돌아볼 필요가 있습니다. 자존심이 상하더라도 내려놓아야 합니다. 그래야 작은 것부터 시작할 수 있으니까요.

그다음은 과정을 차근차근 밟아나가면 됩니다. 조급하지 않게요. 천천히 아주 작은 것부터 성공하는 습관을 키워나가세요. 그런 방식으로 자신에게 자신감을 충전하는 겁니다. 저는 글쓰기 모임을 2019년부터 열기 시작했습니다. 그동안 수백 분의 문우님을 만났죠. 그런데 그중에서 오직 소수만이 지금까지 남아 글을 씁니다. 대다수가 중간에 포기하고 말았어요. 아주 많은 분들이 브런치에서, 블로그에서 사라졌습니다.

물론 포기한 이유는 수없이 많을 겁니다. 쓰다가 처음의 마음을 상실한 경우, 왜 써야 하는지 의미를 상실한 경우, 쓰다가 높은 벽 앞에서 무너진 경우, 자기만의 콘텐츠를 발견하지 못한 경우, 쓰다가 자존심에 상처받은 경우, 그냥 재미가 없는 경우, 자신과 적성이 안 맞는 경우, 상처를 돌보

려다 오히려 상처를 더 많이 받은 경우 등 수십 가지의 이유가 각자에게 존재하겠죠.

대부분 실패한 사람들은 목표를 높게 설정합니다. 그리고 잘 쓰는 사람과 자신을 비교합니다. 얼마나 많은 시간 노력했는지, 처절하게 썼는지 남들이 투자한 노력의 시간은 다 지워버리고, 오직 현재의 나와 그들의 결과만 비교합니다. 결국 그렇게 되니 자꾸만 무리하게 됩니다. 단기간에 따라가려고 과도하게 노력하니 몸과 마음이 동시에 상합니다.

그러니 우리에겐 사소한 것이 기회가 됩니다. 작고 사소하게 시작해야 오래 할 수 있습니다. 곰처럼 견딜 수 있는 겁니다. 간단하고 편리한 메모부터 쓰기 시작해 보길 권합니다. 글쓰기 초보를 위한 커리큘럼입니다. 아주 작은 습관을 욕심내지 않고 간단하게 시작해 보아요.

이 책에서 제시하는 일상을 기록하는 메모를 50일만 따라 하면 삶이 즐거워집니다. 가볍게 기록하면 되니까 부담이 없고 글감이 부족하지 않습니다. 복잡한 생각을 단순하게 정리합니다. 아이디어가 넘쳐납니다. 꾸준한 습관을 키웁니다. 결론적으로 여러분은 꾸준한 글쓰기의 매력에 빠지게 됩니다.

1일. 글감 사전 만들기

1. 포스트잇 꾸러미 하나 준비하기
   - 하루 종일 휴대하고 다니기
2. 생각날 때마다 떠오른 글감 모두 메모하기
   - 한 장에 하나의 글감(아이디어)만 기록
   - 나중에 줄이더라도 일단 최대한 모으기
   - 생각난 그 자리에서 바로 메모하기
   - 업무에 열중하면서도 글감 생각하기
   - 보고 듣고 감각하는 것 모두 기록하기
3. 하루 동안 몇 개의 글감을 수집했는지 밤에 목록 확인
4. 글감 사전 만들기
   - 포스트잇을 하나씩 기록하기
   - 기록하는 과정에서 떠오른 아이디어 덧붙이기
   - 정리 과정에서 쓸모없는 글감은 과감하게 버리기
   - 중요한 글감은 강조하거나 다른 색으로 표시하기

글감 사전

_____

_____

_____

_____

_____

_____

_____

_____

_____

_____

_____

_____

_____

2일. 목적지 설정하기

1. 나는 왜 글을 쓰려고 하는가?

   - 글을 쓰는 목적

   - 무엇을 위해 쓰는가?

   - 한 줄로 쓰기

   예) 모임을 홍보하려고?

   정보를 전달하려고?

   상사에게 보고서를 쓰려고

   회의록을 정리하려고?

   구인광고

   누군가를 위로하려고?

2. 내 글의 독자는 누구인가?

   - 구체적으로

   - 내 글을 실질적으로 읽어줄 사람

   - 도움이 구체적으로 필요한 단 한 사람

   - 한 줄로 쓰기

   예) 왕따당하는 옆집 사는 개똥이

자기 계발에 실패한 중소기업에 다니는 40대 말단 김 부장

모아놓은 돈은 없지만 편안한 노후를 꿈꾸는 60대 꼰대 남성

자신의 책을 내고 싶어하는 30대 기혼 여성

목적지 설정하기

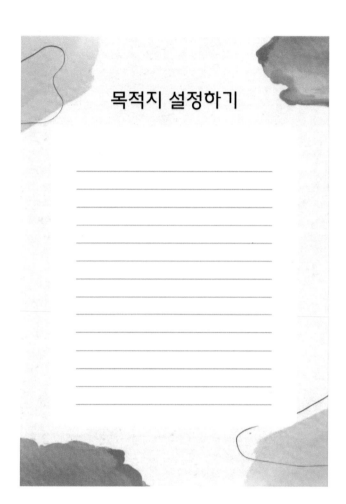

3일. 글감 취재하기

1. 1일 미션으로 만든 글감 중에서 한 가지 고르기
   - 하루 종일 취재하러 다니기
   - 온/오프라인 어디든 갈 수 있는 곳 전부
   - 서점, 도서관, 친구, 지인
   - 발품 팔기
2. 시장 조사 → 자료 수집
   - 네이버 뉴스 기사 (https://news.naver.com/)
   - 카페/식당/지하철/버스
     → 옆 사람에게서 화제 수집하기(엿듣기)
   - 인터넷 커뮤니티에서 글감 수집하기
3. 자료 수집한 내용 간략하게 정리하기
   - 5~6줄로 정리 (반드시)

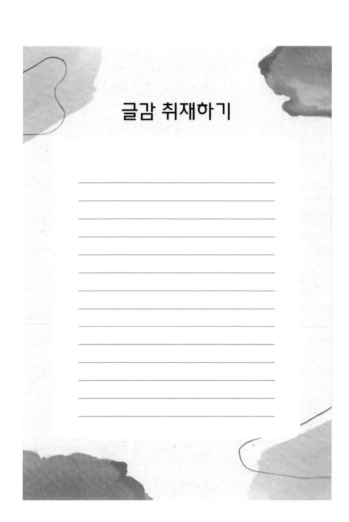

글감 취재하기

_____

_____

_____

_____

_____

_____

_____

_____

_____

_____

_____

_____

_____

4일. 필사하기

1. 책, 칼럼, 시 장르에 상관없이 한 권의 책 고르기
   - 그 책에서 한 편의 에피소드 선택
2. 분량은 스스로 결정
3. 필사한 마지막 줄에 내 생각 세 줄 쓰기

필사하기

_____
_____
_____
_____
_____
_____
_____
_____
_____
_____
_____
_____
_____
_____

5일. 독서일기 쓰기

1. 책 속의 밑줄 기록

2. 내 의견 쓰기

3. 실천 아이디어 쓰기

4. 예시:

– 책 속의 한 문장

누군가를 지독하게 미워하면 나중에 더 슬퍼할 일이 생긴다. 특히 그 대상이 갑자기 사라지면 증오만 그대로 남아서 화살이 자신을 향하게 될지도 모른다. 미워하는 일보다, 미워할 수도 없게 되어버렸다는 것이 남은 사람에게 고통을 준다.

– 《당신을 믿어요》 중에서

– 내 생각

아버지를 지독하게 미워했다. 미움이 쌓이고 쌓인 나머지 원망의 강을 만들고 슬픔마저 모조리 쓸어가 버렸다. 난 아버지를 절대로 용서할 생각이 없었고 시간이 흘러도 그 마음은 변치 않을 거라고 믿었다. 그러던 어느 날, 아버지는 거짓말처럼 내 미움의 목록에서 지워졌다. 지워졌다는 걸

받아들일 수 없었지만, 나는 그 사실을 부정할 수 없었다. 볼 수도 없고 만질 수도 없지만 죽음은 현상이 아닌 실재였다. 나는 그런 면에서 단죄를 당했다. 죽음의 강보다 더 깊던 미움은 어디로 사라졌는지 용서도 화해도 모두 의미 없어졌다.

미워하는 일도 그리워하는 일도 모두 고통을 만들 뿐이다. 인생을 두 번 산다면 그때는 화해의 말을 먼저 청해볼 수 있을까?

- 나의 실천
  - 미워하는 마음도 그대로 받아들이기
  - 고통을 회피하지 말기
  - 마음속에서 화해하기

독서일기 쓰기

6일. 문장으로 이야기 만들기

1. 문장 잇기
2. 충격적인 사건을 모티브로
3. 짧게 이어쓰기 (반드시 한 문단 이내로)
4. 예시

그날 한 명이 다치고 여섯 명이 죽었다. 먼저 엄마와 할멈. 다음으로는 남자를 말리러 온 대학생. 그 후에는 구세군 행진의 선두에 섰던 50대 아저씨 둘과 경찰 한 명이었다. 그리고 끝으로는, 그 남자 자신이었다. 그는 정신없는 칼부림의 마지막 대상으로 스스로를 선택했다. 자신의 가슴 깊이 칼을 찔러 넣은 남자는 다른 희생자들과 마찬가지로 구급차가 도착하기 전 숨이 끊어졌다. 나는 그 모든 일이 눈앞에서 벌어지는 것을 바라보고만 있었다.

언제나처럼, 무표정하게.

- 《아몬드》 중에서
- 문장 잇기 예시

눈을 뜨니 병원 천장이 보였다. 여섯 명이 죽는 현장을 무표정하게 바라보다 내가 쓰러졌고, 구급차가 나를 병원으로 이송했다. 엄마와 할멈이 궁금했다. 분명 꿈이기를 바랐다. 내가 바라본 현장이 헛것이길 바랐다. 하지만, 내 옆에는 아무도 없었다. 나는 순식간에 고아가 되어 버렸다. 아무도 잡아주는 이 없는 양손은 차가웠다.

문장으로 이야기 만들기

7일. 사진으로 이야기 만들기

1. 문장을 넘어서 사진으로

2. 사진을 보고 묘사하기

3. 미션 사진 (출처: Pixabay Engin_Akyurt)

사진으로 이야기 만들기

8일. 맞춤법 익히기

1. 예시 문장 익히고 문장을 활용하여 짧은 글쓰기
2. 반드시 한 문단 이내로
3. 예시 문장

   골목에서 웬 사내와 마주쳤다.

   – 웬 → 관형사로서 어찌 된, 어떠한

   – 예시글

그랬구나. 나만 좋아했던 거구나. 나만 바보였구나. 혼자 크리스마스이브라고 신났구나. 포장한 선물을 쓰레기통에 집어 던지고 싶었다. 혹시나 놓쳤을까 스마트폰을 봤지만 문자도, 카톡도, 부재중 전화도 없었다. 결단을 내려야 했다. 먼저 전화하는 것조차 구차하다는 생각이 들었다. 카톡을 보내어야 할까? 그것도 아닌 것 같았다. 지하철로 터벅터벅 발길을 옮기려는 순간, 기적처럼 그가 보였다. 그는 혼자가 아니었다. 옆에 웬 산적처럼 생긴 남자와 함께 뛰어왔다.

맞춤법 익히기

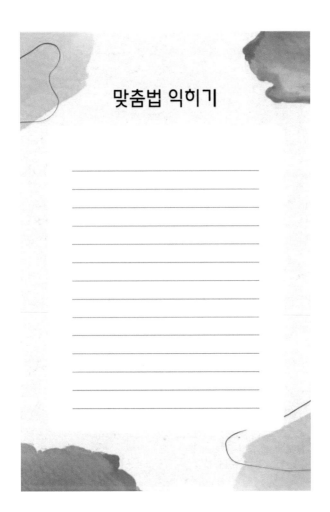

9일. 뽀모도로 타이머로 집중해서 글쓰기

1. 목표 글자 수 설정
2. 뽀모도로 타이머 접속: https://pomofocus.io/
   - 뽀모도로 50분 설정, 롱 브레이크 20분 설정
   - 50분 집중하기 → 20분 휴식하기
   - 타이머 가동하고 글쓰기 → 집중하기/몰입하기
   - 타이머 반복하기 → 몇 사이클 도는지 체크
3. 맞춤법 무시
4. 무조건 정해진 분량 완성하기 → 목표 글자수 설정
5. 몇 번을 반복해야 목표한 글이 완성되는지 실험
6. 지침 《뼛속까지 내려가서 써라》
   - 손을 계속 움직이라. 방금 쓴 글을 읽기 위해 손을 멈추지 말라. 그렇게 되면 지금 쓰는 글을 조절하려고 머뭇거리게 된다.
   - 편집하려 들지 말라. 설사 쓸 의도가 없는 글을 쓰고 있더라도 그대로 밀고 나아가라.
   - 맞춤법이나 구두점 등 문법에 얽매이지 말라. 여백을 남기고 종이에 그려진 줄에 맞추려고 애쓸 필요 없다.

– 마음을 통제하지 말라. 마음 가는 대로 내버려두라.

– 생각하려 들지 말라. 논리적 사고는 버려라.

– 더 깊은 핏줄로 자꾸 파고들라. 두려움이나 벌거벗고 있다는 느낌이 들어도 무조건 더 깊이 뛰어들라. 거기에 바로 에너지가 있다.

뽀모도로 타이머로
집중해서 글쓰기

10일. 세 줄 일기 쓰기

1. 세 줄 일기는 광고와 닮은 점이 참 많다.

2. 많은 정보 중 중요한 것을 추려내 짧게, 잘 보여주어야 한다는 점

3. 좋은 세 줄 일기 예시

이른 아침부터 촬영 중.

숨이 턱턱 막힐 정도로 덥다.

시바, 너 덕분에 개시원하다.

2019년 8월 5일, 삼청동에서.

－《크리에이티브는 단련된다》 중에서

세 줄 일기 쓰기

11일. 엉뚱한 독서

1. 내 전공 혹은 나와 전혀 관련 없는 분야의 책, 잡지, 신문 고르기

2. 처음부터 마지막까지 대충 훑어보기

　- 가능하다면 (정독 아님)

　- 심지어 광고까지 모두 읽기

3. 읽다가 떠오른(찾아낸) 영감(아이디어)이 있다면 재빠르게 메모하기

4. 메모로 무엇을 할 수 있을까? 상상해 보기

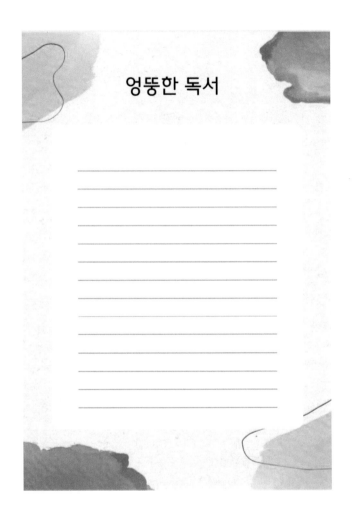

엉뚱한 독서

12일. 동사는 동사답게

1. 주어진 동사를 활용하여 이야기 만들기

　- 동사는 형용사와 함께 용언에 속한다.

　- 용언: 문장에서 서술어의 기능을 하는 동사, 형용사를 통틀어 이르는 말. 문장 안에서의 쓰임에 따라 본용언과 보조 용언으로 나눈다 (네이버 사전)

　- 동사의 활용 방법 예) 달리다

　서술적으로 사용 시:

　새벽길을 달리다, 바람을 맞으며 달리다

　문장 중간에서 수식하는 경우:

　달리는 사람, 달리는 말, 달리는 것을 보니 기가 찼다.

2. 미션으로 동사 3가지 제시

　- 동사를 조합하여 한 문장씩 만들어보기

3. 전제 조건

　- 무조건 문장을 동사로 끝내야 함 (서술어로 활용)

4. 미션 동사

　- 게을러터지다, 다가앉다, 떨치다

동사는 동사답게

_____

_____

_____

_____

_____

_____

_____

_____

_____

_____

_____

_____

_____

13일. A는 B다

1. 예문으로 제시한 비유를 활용하여 나만의 문장 만들어 보기

2. 방법

  ~ 같은

  ~ 처럼

3. 비유 예문 (직유)

그곳에는 시적인 데라곤 전혀 없는 가난이 있다. 더 이를 데 없이 궁핍하고 넝마 같은 가난이 도사리고 있다. 그 가난은 진흙이 묻지 않았다 해도 얼룩이 지고, 구멍이나 누더기가 없더라도 곧 썩어 넘어질 지경이다.

– 《고리오 영감》 중에서

A는 B다

14일. 카페로 달려가라

1. 낯선 환경에서 글 써보기

2. 카페? 버스? 길거리로 나가기

3. 익숙한 환경에서 벗어나기

집에서 나가라. 설거지에서 벗어나라. 글을 쓸 수 있는 카페로 달려가라

　－《뼛속까지 내려가서 써라》 중에서

4. 카페 사진 찍어서 기억에 남기기

5. 짧은 느낌 메모하기

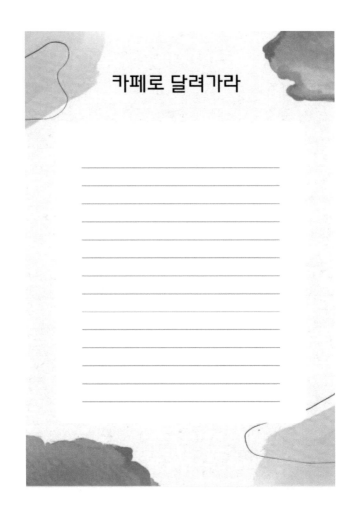

카페로 달려가라

_____

_____

_____

_____

_____

_____

_____

_____

_____

_____

_____

_____

_____

_____

_____

15일. 사건일기 쓰기

1. 그날 벌어진 일 중에서 한 가지를 떠올리기

2. 그 사건을 진술하듯이 그대로, 마치 기자가 보도하듯이 사실대로 쓰기

3. 사건을 객관적으로 서술하듯이 옮기기. 마지막에 짧게 한 줄 정도 혹은 한 문단 정도 사건의 느낌 적기

4. 예) 신호등을 기다리며 나는 주위 사람들의 특질을 살폈다. 두꺼운 패딩을 걸쳐 입고 담배 한 모금을 깊이 빨아들이면서도 손이 시려 연신 그것을 비비는 여자, 다음 초록색을 기다리지 못해 결국 무단 횡단을 감행하고야 마는 남자와 여자의 용기도 보았다. 나는 준법정신이 투철한 사람처럼 매섭게 서서, 길가에 담배꽁초를 비벼 끄는 여자를 경멸의 눈초리로 쏘아보다가, 마치 무예라도 펼치듯 자동차 사이를 용케 활보하는 어리석은 남자와 여자의 무모함에도 역시 경멸을 쏘아붙였다.

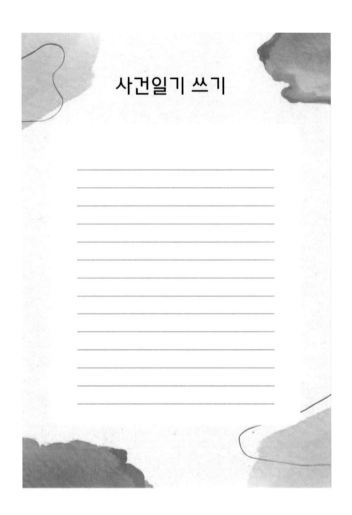

사건일기 쓰기

_____

_____

_____

_____

_____

_____

_____

_____

_____

_____

_____

_____

_____

_____

16일. 비틀어 보기

1. 한눈에 반하는 한 문장 만들기
2. 진부한 표현 바꾸는 훈련해 보기
3. 제시하는 문장처럼 단어나 문장 비틀어 보기

예)

- 아프리카 → 아프니까
- 바삭 → Bar삭
- 한산대첩 → 한식대첩
- 고발뉴스 → Go발뉴스
- 노병은 죽지 않는다. 다만 사라질 뿐이다.

    → 쓰레기는 죽지 않는다. 다만 재활용될 뿐이다.
- 인생은 짧고 예술은 길다.

    → 인생은 짧고 일회용품은 길다.
- 국장인가, 청국장인가
- 《비틀어 글쓰기》 중에서

비틀어 보기

_____

_____

_____

_____

_____

_____

_____

_____

_____

_____

_____

_____

_____

_____

_____

17일. 여행 메모하기

1. 여행의 추억 더듬어 보기
   - 연도, 여행지, 비행기 티켓, 영수증 사진 모으기
2. 그림 그려보기
   - 그릴 수 있다면
3. 녹음하기
   - 실제 여행을 떠난다면
   - 새소리, 바닷소리, 자연의 소리, 내 목소리
4. 사소한 느낌, 생각 기록하기

여행 메모하기

18일. 오감 자극 메모하기

1. 하루 동안의 감각 모두 찾기
2. 감각을 느낀 상황의 메모
   - 짧게 메모하기
3. 감각표 꽉 채우기

하루 감각표 ⋯

⊙ 감각	☐ 시간	☰ 메모
시각		
청각		
후각		
미각		
촉각		

오감 자극 메모하기

_____

_____

_____

_____

_____

_____

_____

_____

_____

_____

_____

_____

_____

19일. 어휘력 향상하기

1. 사전에서 모르는 어휘 찾아보기
2. 사전 구경하기
   - 네이버 사전 종이 사전도 좋습니다.
   - 찾다가 모르는 단어를 발견하면 기록합니다
   - 예문을 살펴봅니다.
3. 응용하기
   - 모르는 어휘를 사용하여 문장을 만들어봅니다.

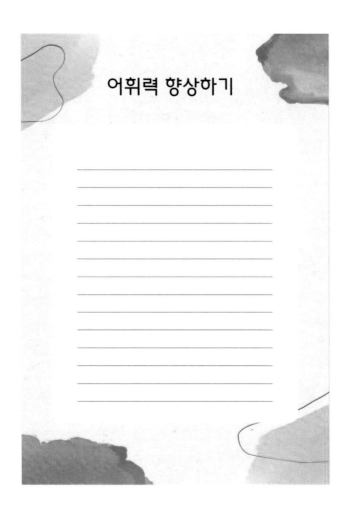

어휘력 향상하기

_____

_____

_____

_____

_____

_____

_____

_____

_____

_____

_____

_____

_____

_____

_____

20일. 습관일기 쓰기

1. 정기적으로 유지해야 할 습관 기록하기
2. 체크리스트 만들기
   - 오늘 실천한 습관
   - 실패한 습관
   - 습관 결과 평가하기
   - 간단한 느낌 쓰기

습관일기 쓰기

21일. 하루 한 문장

1. 오늘을 어떻게 살아야 할까?

- 오늘을 준비하는 나, 지금 이 순간을 살아내기 위한 마음을 단 한 문장으로 압축하기

- 오늘의 단언, 확언

- 아침에 일어나자마자 나에게 명령 내리기

예)

- 더 이상 자기부정에 빠지지 말자

- 생각보다 행동이 우선이다.

- 오늘은 커피 한 잔만 마시자!

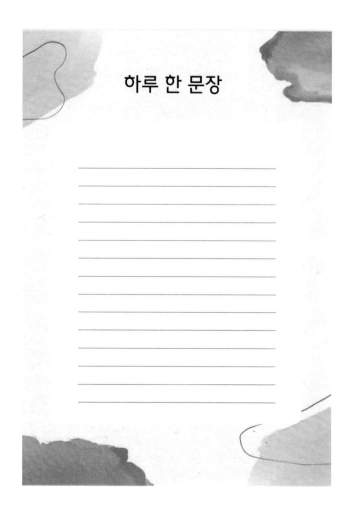

하루 한 문장

22일. 하이퍼링크 독서

1. 한 권의 책을 정하고 하루 종일 읽기, 틈나는 대로

2. 책을 읽다가 언급된 다른 책 모두 조사하기

　　- 제목과 출판사, 출간 연도, 저자 등의 내용 메모하기

　　- 메모한 책 온라인 서점에 들어가서 목차 정리하기

　　- 가능하다면 서점에 직접 방문하여 구매하여 읽기

(전자책도 추천) → 하이퍼링크 독서

3. 하이퍼링크 독서란?

　　- 한 권에서 다른 책으로 독서를 계속 이어 나가는 독서
법입니다.

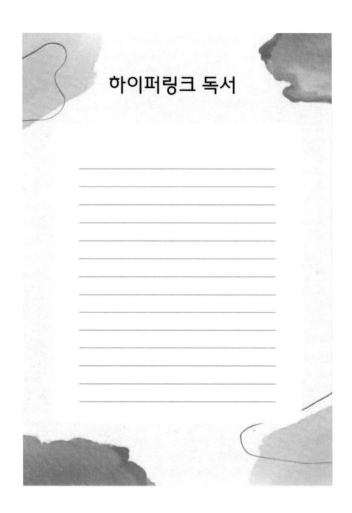

하이퍼링크 독서

23일. 최악의 상황 직면하기

1. 문장을 읽고 나에게 일어날지도 모를 최악의 상황, 악몽의 상황을 상상해 보기

2. 최악의 상황에서 탈출하려면

   - 얼마나 많은 시간과 에너지가 소모될 것인지

   - 그 상황을 기피하지 말고 어떻게 해결해 나갈 것인지 구체적으로 아이디어 떠올려보기

   - 최악의 상황을 극복한다면 나에게 어떤 성과가 나타날 것인지 가정해 보기

3. 중요한 포인트는 생각나는 대로 거침없이 쏟아내는 것이 목표입니다. 최대한 길게 써봅니다.

4. 예문

오늘 직장에서 해고된다면 생계는 어떻게 유지할 것인가? 다른 선택권을 시험해 보기 위해 직장을 그만둔다면, 그 선택권이 별로였을 때 다시 예전 직장이나 커리어로 되돌아올 수 있는 방법은 무엇인가?

   - 《타이탄의 도구들》 중에서

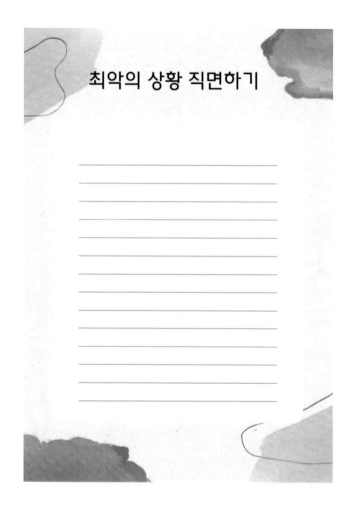

최악의 상황 직면하기

24일. 연상 단어 모두 찾기

1. 제시된 단어와 연관된 다른 단어 모두 찾아내기

   → 필요하다면 검색엔진에서 검색하기

2. 사고의 폭 확장해 보기

3. 단어에 연상되는 단어뿐만 아니라 그림까지 그려보기 (가능하다면 발 그림이라도...)

4. 예시

   미션 단어: 커피

   - 커피 향을 맡으면 공유의 카누 광고가 생각난다

   - 핸드 드립 커피 → 강릉의 테라로사 카페가 생각난다

   - 영화 <카모메 식당>에 나온 코피 루왁을 마시고 싶다.

5. 미션 단어: 새해, 부업

연상 단어 모두 찾기

25일. 사소한 불만 찾기

1. 아침부터 저녁까지

2. 나의 모든 일상에서 발생하는 사소한 불만 찾아내기

3. 불만 리스트 만들어 보기

4. 불만을 어떻게 해소 혹은 해결할 수 있을지, 누구에게 도움을 받을 수 있을지 짧게 메모로 남겨보기

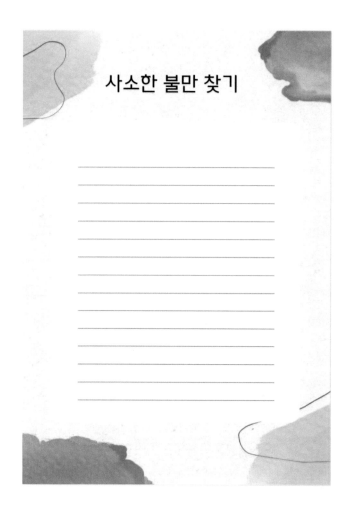

사소한 불만 찾기

26일. 나는 카피라이터다

1. 주어진 카피 보고 카피라이터 흉내 내기
   - 고객이 가진 문제는 무엇인가?
   1) 문제에 초점 맞추기
   2) 고객이 가진 삶의 문제점
   3) 문제점의 진단
   - 문제를 어떻게 해결할 것인가?
2. 예문 보고 나만의 카피 한 줄 만들어 보기
3. 예문

'문제'를 제시하여 흥미를 끌면 계속 읽을 가능성이 높다. 만약 그 문제의 '해결책'이 유니크하고 흥미를 끄는 것이라면, 해결책을 함께 제시해라. 더 관심을 갖게 될 것이다. 다만, 그 해답이 얼마든지 예상이 가능하고 평범한 것이라면, 그다음 문장은 읽지 않을 것이다. 그런 경우에는 문제 제시로 끝내는 것이 좋다.

   - 《무조건 팔리는 카피 단어장》 중에서

4. 문제를 활용한 카피 예시

- 초등학교 학부모 모임에서 일어나기 쉬운 문제
- 사회 초년생들이 자주 겪는 문제
- 구글 OKR이 스타트업에서 활용되지 못하는 문제

나는 카피라이터다

27일. 시 엮어보기

1. 예문 시 3연과 내가 직접 쓴 시를 엮어서 새로운 시 한 편을 완성합니다.

2. 가능하다면 낭독도 해봅니다.

3. 시 3연

   1) 꿈, 견디기 힘든 - 황동규

     그대 벽 저편에서 중얼댄 말

     나는 알아들었다

   2) 침대를 타면 - 신현림

     내일은 좋은 일만 생길 것 같고

     세상 끝까지 갈 힘을 얻지

   3) 슬픈 샘이 하나 있다 - 문태준

     가슴 속에 저런 슬픈 샘이 하나 있다

시 엮어보기

28일. 오늘의 유튜브

1. 오늘 본 유튜브 영상 내용 짧게 요약하기

2. 유튜버 소개하기

3. 알고리즘 추천인지 구독하던 채널인지 소개하기

오늘의 유튜브

29일. 실행의 역사

1. 오늘 하루 동안 실행한 일 메모
    - 구체적으로 어떤 일들을 실행했는지
    - 성과는 어땠는지 메모하기
2. 메모할 내용
    - 실행시간
    - 어떤 사람과 함께?
    - 어떤 내용을?
    - 효과 혹은 결과는?

실행의 역사

30일. 나의 취향 소개하기

1. 오늘의 유튜브 첫 화면 살펴보기

2. 첫 화면으로 판단하는 나의 취향, 선호도 생각하기

3. 첫 화면에 주로 배치된 영상에 따라 나의 성향을 MBTI로 풀어본다면?

나의 취향 소개하기

31일. 04:30 나만의 창의적인 시간

1. 건강한 아침 루틴 실행

2. 04:30에 일어나기

 - 알람 04:30에 맞추기

 - 알람 소리가 나면 마음속으로 5초를 세고 바로 일어나기

 - 생각하지 말고 따지지도 말고 힘들어도 일어나기 →
변명 하지 말기

 - 다른 날보다 더 건강한 하루 보내기

 - 나는 할 수 있다! 힘차게 외치고 하루 시작하기

 - 이부자리 깔끔하기 정리하기

3. 30분 여유시간 만들기: 나만의 창의적인 시간 갖기 →
하루를 장악하기

 1) 따뜻한 차 한잔(카페인은 빈속에 좋지 않습니다.) 준
비

 2) 내가 좋아하는 명언 한 문장을 읽는다. → 입으로 소
리 내어

 예) 우리가 우리 안에 있는 것들 가운데 아주 작은 부분

만을 경험할 수 있다면, 나머지는 어떻게 되는 걸까?

- 《리스본행 야간열차》

　3) 오늘 하루 어떻게 하면 재미있고 의미 있게 보낼 수 있을까? 상상하고 구체적으로 계획해 보기

　4) 계획 3가지 상상해 보기 → 그중에서 한 가지 오늘 실행해 보기(가능하다면)

　5) 예

　오늘은 익선동 골목을 혼자 돌아다니다, 조용한 카페에 들어가서 커피와 맛있는 스콘을 실컷 먹겠다!

　오늘은 회사에 무단결근하고 터미널에 가서 아무 버스나 타고 무계획 여행을 떠나보겠다!

　오늘은 다이어트고 뭐고 달고나 라떼에 샷 추가하여 당분을 마구마구 섭취하겠다!

04:30 나만의 창의적인 시간

32일. 생각없이 빈둥거리기

빈둥거리는 시간에 무엇을 하느냐는 어떤 부업에 열정을
품고 있느냐를 말해 주는 훌륭한 징표가 될 수 있다.

– 《나는 퇴근 후 사장이 된다》 중에서

나는 여러분에게 아무리 사소하거나 아무리 광범위한 주
제라도 망설이지 말고 어떤 종류의 책이라도 쓰라고 권할
것입니다. 무슨 수를 써서라도 여행하고 빈둥거리며 세계의
미래와 과거를 사색하고 책들을 보고 공상에 잠기며 길거리
를 배회하고 사고의 낚싯줄을 흐름 속에 깊이 담글 수 있기
에 충분한 돈을 여러분 스스로 소유하게 되기를 바랍니다.

– 버지니아 울프

1. 빈둥거릴 시간 정하기

  예) 오후 1시부터 오후 2시까지: 자유롭게

2. 빈둥거릴 아이디어 찾기

  예) 카카오톡 차단하기 → 비행기 모드로 바꾸기

공원 벤치에 앉아서 맥주 한 캔 마시기

카페에 앉아서 N잡러로 어떻게 살아볼까 궁리하기

목적 없이 동네 어슬렁거리기

업무시간에 월급루팡하기

3. 생각 없이 빈둥거리고 나서 느낌이 어땠는지 간략하게 써보기

　　- 3줄 이내로

　　- 자신의 감정을 관찰하기

생각없이 빈둥거리기

33일. 자신의 닉네임으로 N행시 쓰기

1. 자신의 닉네임으로 삼행시 쓰기

   - 창의적으로

   - 될 수 있으면 재미있게

   - 엉뚱하게

2. 최대한 간결하게 쓰기 → 산문처럼 쓰지 않기

자신의 닉네임으로 N행시 쓰기

34일. 의미 없는 낙서

1. 만화의 신으로 불리는 데즈카 오사무의 말

"낙서는 즐겁다. 남에게 보여주지 않아도 되고, 내가 그리고 싶은 대로 그릴 수 있으며, 아무리 그림이 엉망이어도 마음 놓고 그릴 수 있다."

2. 즐겁게 낙서하는 것이 핵심!

3. 아무렇게나 스케치하듯이

4. 남에게 보여준다는 의식을 벗어버리고

5. 내가 원하는 대로 하고 싶은 대로 그리고 싶은 대로 스케치하기

6. 쓰는 것보다는 그린다는 의식으로 채워보기

의미 없는 낙서

35일. 디지로그 하기 (Digital + Analog + Log)

1. 책, 칼럼, 시 장르에 상관없이 한 권의 책 고르기
   - 그 책에서 한 편의 에피소드 선택 (2,000자 이내)
   - 반드시 직접 타이핑하는 방법(디지털)으로 필사하기
   - 손 필사 절대 안 됩니다.
2. 분량은 스스로 결정
3. 필사한 마지막 줄에 내 생각 세 줄 쓰기

36일. 나만의 카피 만들기

1. 주어진 문구를 넣어 나만의 카피 만들기

   당신이 '잠 못 들 정도로' 하고 싶은 일

   1) 열정을 쏟아내고 싶은 일

   2) 밤새도록 빠져들고 싶은 일

   3) 밤새도 전혀 피곤을 느끼지 않을 일

2. 예문을 참고하여 나만의 카피 한 줄 만들어 보기

   - 예문: 잠 못 들 정도로

   걱정스러운 일이 있어서 잠들지 못한 경험은 누구에게나 있을 것이다. 그 정도로 신경이 쓰이는 상태를 나타낸다. 또는 뭔가에 너무 열중해서 잘 시간이 되어도 잠들지 못한다는 의미이다.

   - 《무조건 팔리는 카피 단어장》 중에서

3. 카피 샘플 ('잠 못 들 정도로'를 활용한)

   잠 못 들 정도로 흥미로운 역사 이야기

잠 못 들 정도로 재미있는 역대 아카데미상의 무대 뒤 이야기

잠이 안 올 정도로 재미있는 서프라이즈 괴담 모음집

잠이 안 올 정도로 유익한 메모 글쓰기

나만의 카피 만들기

37일. 나 오늘 잘렸어!

1. 앞으로 일어날지도 모를 최악의 상황 가정해 보기

   - 최악의 상황을 한 줄로 정의해 보기

2. 최악의 상황은 어떤 감정을 들게 하는지 느껴 보기

   - 감정 단어 모두 찾아보기

3. 최악의 상황은 내 인생을 종말시킬지, 나에게 어떤 영향을 미치게 될지 점수를 매겨보기

   - 1점에서 ~ 10점까지

4. 실제로 최악의 상황이 일어날 확률은 얼마나 될까?

   - 수치로 답변하기 → 절대 일어나지 않는다 (0%) ~ 반드시 일어난다 (100% → 어떻게 확신?)

5. 최악의 상황을 모면하려면 어떻게 해야 할까?

   - 대처법 혹은 아이디어 3가지 써 보기

나 오늘 잘렸어!

38일. 즐겨 마시는 커피

1. 커피에 대한 다양한 질문에 답해보기

   - 나의 선호도 취향은?

   - 자주 방문하는 카페는 어디인지?

   - 어느 시간에 주로 커피를 마시는지?

   - 하루에 몇 잔의 커피를 마시는지?

   - 뜨아? or 아아? → 나의 선택은

   - 커피 마시면서 주로 실행하는 것은?

     1) 멍때리기

     2) 상사 욕하기

     3) 글 쓰기

     4) 음악 듣기

     5) 친구와 잡담하기

   - 커피를 마시는 이유는?

   - 한 달에 지출하는 커피 값은?

즐겨 마시는 커피

39일. 의식의 흐름 따라가기

1. 목표 글자 수 설정
2. 타이머 설정
   1) 타이머 20분 설정하고 스타트
   2) 의식의 흐름대로 글쓰기 → 집중하기/몰입하기
   3) 아무 말 대단치
   4) 생각나는 대로 마구잡이로 쓰기
3. 맞춤법 무시
4. 무조건 정해진 분량 완성하기 → 목표 글자 수 설정
5. 지침

   - 손을 계속 움직이라. 방금 쓴 글을 읽기 위해 손을 멈추지 말라. 그렇게 되면 지금 쓰는 글을 조절하려고 머뭇거리게 된다.

   - 편집하려 들지 말라. 설사 쓸 의도가 없는 글을 쓰고 있더라도 그대로 밀고 나아가라.

   - 맞춤법이나 구두점 등 문법에 얽매이지 말라. 여백을 남기고 종이에 그려진 줄에 맞추려고 애쓸 필요 없다.

   - 마음을 통제하지 말라. 마음 가는 대로 내버려두라.

– 생각하려 들지 말라. 논리적 사고는 버려라.

– 더 깊은 핏줄로 자꾸 파고들라. 두려움이나 벌거벗고 있다는 느낌이 들어도 무조건 더 깊이 뛰어들라. 거기에 바로 에너지가 있다.

– 《뼛속까지 내려가서 써라》 중에서

의식의 흐름 따라가기

40일. 시 엮어보기 플러스

1. 예문 시 3연과 내가 직접 쓴 시를 엮어서 새로운 시 한 편을 완성합니다.

2. 나의 한 줄도 추가합니다.

3. 가능하다면 낭독도 해봅니다.

4. 시 3연

  1) 검은 호주머니 속의 산책 - 강성은

    두근거리는 손 때문에 우리는 걷고 또 걸었다

  2) 겨울에 쓰는 편지 - 서홍관

   안녕

   깨끗한 겨울

  3) 마스크 - 김중일

   오늘은 미세먼지주의보, 창틀에 먼지가

시 엮어보기 플러스

41일. 단 한 편의 영화를 소개한다면?

1. 내 인생의 영화, 감동한 영화를 소개한다면?
  - 영화 제목
  - 어떤 장르의 영화인지
  - 감독이 누구인지
  - 별점
  - 소개하는 이유 간단하게 쓰기

단 한 편의 영화를 소개한다면?

42일. 제목 짓기

1. 하루 동안 마주치는 장면, 물건 → 스마트폰으로 사진 찍기(다정하게 포착하기)

2. 그중에서 3장 고르기 (베스트)

3. 사진에 제목 붙여주기 → 카피라이터가 된 것처럼 써 보기

제목 짓기

43일. 나의 일 재구성하기

1. 내 삶을 변화시키기 위해서 혁명적인 진보를 시작하는 것보다 현실을 받아들이고 문제점을 어떻게 개선할 것인가 고민하기

2. 나의 현재 일, 상황, 환경을 재구성해 보기

3. 절차

   1) 주어진 현실을 받아들인다. → 당신의 현실은?

   2) 일 (상황, 환경)에 머물 수 있는 새로운 '이유'를 찾아낸다. → 새로운 이유 찾기

   3) 일 (상황, 환경)과 나와의 관계를 재구성한다. → 어떻게 재구성할 것인가?

   4) 일 (상황, 환경)을 위해 재도전하고 헌신할 아이디어는? → 아이디어 찾기

   5) 지금은 충분히 괜찮다고 생각할 수 있는 새로운 혜택과 만족감을 찾는다. → 만족감을 찾으려면?

4. 위의 다섯 가지 항목에 답하기

나의 일 재구성하기

44일. 감각 메모하기

1. 과거 혹은 현재의 어떤 장면을 고릅니다.

　- 감각 메모는 과거의 특정한 기억, 혹은 최근에 경험한 어떤 기억을 떠올립니다. 그리고 그 장면을 다섯 가지의 감각(오감)을 통해 표현합니다.

2. 장면에 숨겨진 감각들을 모두 찾아내 글로 표현해 봅니다. 짧게 한 문단으로 장면을 표현합니다.

3. 다섯 가지의 감각을 모두 사용하면 좋지만 시각과 청각을 기본으로 사용하고 나머지 감각은 선택적으로 활용해 봅니다.

감각 메모하기

45일. 감사일기 쓰기

1. 오늘 하루를 돌아봅니다.

2. 감사한 일을 생각해 보세요. 거창하지 않아도 됩니다.

3. 오늘 감사한 다섯 가지 일을 한 문장으로 다섯 줄을 완성해 보세요.

4. 감사가 행복을 불러옵니다.

감사일기 쓰기

46일. 아티스트 데이트

아티스트 데이트란 정확하게 무엇일까? 그것은 매주 두 시간 정도 시간을 정해두고, 이 시간에는 당신의 창조적인 의식과 당신 내면의 아티스트에게 영양을 공급하는 것이다.

아티스트 데이트는 소풍 같은 것, 즉 미리 계획을 세워 모든 침입자들을 막는 놀이 데이트의 형태를 띤다. 아티스트 데이트에는 당신 자신과 내면의 아티스트, 즉 당신의 창조성이라는 어린아이 외에는 아무도 데려가서는 안 된다. 연인이나 친구, 배우자, 아이들, 그 누구도 말이다.

－《아티스트 웨이》 중에서

1. 자신을 위해 아티스트 데이트를 합니다. (아래 예시 참조)

  － 아늑한 카페에서 달달한 커피 마시기

  － 커피 내려 마시기

  － 공원에서 아이스크림 먹으면서 멍하게 있기

  － 배달 음식 주문

- 다이어트 생각하지 않고 음식으로 힐링하기
- 좋아하는 음식 맘껏 먹기
- 나를 위한 멋진 음식 만들기
- 시 낭송
- 미루었던 독서하기

2. 나의 창조성이라는 어린아이와 함께한 데이트를 간단히 적습니다.

3. 어떤 느낌이었는지, 다음에는 어떤 아티스트 데이트를 할지 계획을 기록합니다.

아티스트 데이트

47일. 더하기 메모 1단계

1. 지금까지 기록한 메모들을 차분하게 내 삶에 어떻게 적용할 수 있을까, 고민하며 읽어봅니다.

2. 이제 읽은 메모 중에서 4가지를 골라봅니다. (직관적으로)

3. 4개 메모를 각각 한 줄로 정의해 봅니다.

4. 메모에서 키워드 한 가지를 찾는 방법도 좋습니다.

5. 다음에는 메모 두 개씩을 더하여 서로 조합해 봅니다.

   – 낯익은 것들이 합쳐지면서 새로운 세계를 창조하는 것입니다.

   – 총 4개의 메모를 각각 조합하여 2개의 한 줄 조합 메모를 탄생시킵니다.

더하기 메모 1단계

48일. 더하기 메모 2단계

1. 더하기 메모 1단계에서 나온 2개의 조합 메모를 다시 조합하여 또 하나의 메모를 탄생시킵니다.

2. 1단계에서 선택하지 않은 다른 메모 4가지를 골라 1단계, 2단계를 거칩니다.

3. 마음에 드는 최종 메모가 나올 때까지 1단계, 2단계를 반복합니다.

더하기 메모 2단계

49일. 더하기 메모 3단계

1. 더하기 메모 2단계에서 최종적으로 탄생한 메모에 대해 내 삶에 어떻게 적용할 것인지. 실용적인 전략을 적어봅니다.

2. 아이디어는 새로운 세계를 창조하는 게 아니라 기존에 이미 존재하는 것들을 골라 조합하는 것입니다.

3. 더하기 메모 3단계의 목적은 기존에 내가 만든 아이디어를 조합하여 더 창의적인 결과를 만들어내는 것입니다.

더하기 메모 3단계

50일. 후기 나누기

1. 50일 동안 메모 글쓰기 과제를 따라오느라 수고하셨습니다.

2. 이제는 간단한 메모에서 500자 글쓰기에 도전합니다. (공백 포함)

3. 《50일 완성! 메모로 시작하는 글쓰기》 과제를 수행하며 느낀 점, 새롭게 알게 된 점, 다음 단계 등을 작성합니다.

4. 작성한 후기를 SNS나 온라인 서점 후기로 포스팅합니다.

5. 이제 여러분은 글 쓸 준비가 되셨습니다. 여러분의 다음 단계를 응원합니다.

후기 나누기